TROPISMES

DU MÊME AUTEUR

Aux Editions Gallimard

Martereau, *1953.*
L'ère du soupçon, *1956.*
Portrait d'un inconnu, *1957.*
Le planétarium, *1959.*
Les fruits d'or, *1963.*
Le silence, le mensonge, *1966.*
Entre la vie et la mort, *1968.*
Isma suivi de le silence, le mensonge, *1970.*
Vous les entendez ?, *1972.*

NATHALIE SARRAUTE

TROPISMES

LES ÉDITIONS DE MINUIT

7, rue Bernard-Palissy – 75006 Paris

ISBN 2-7073-0125-6

I

Ils semblaient sourdre de partout, éclos dans la tiédeur un peu moite de l'air, ils s'écoulaient doucement comme s'ils suintaient des murs, des arbres grillagés, des bancs, des trottoirs sales, des squares.

Ils s'étiraient en longues grappes sombres entre les façades mortes des maisons. De loin en loin, devant les devantures des magasins, ils formaient des noyaux plus compacts, immobiles, occasionnant quelques remous, comme de légers engorgements.

Une quiétude étrange, une sorte de satisfaction désespérée émanait d'eux. Ils regardaient attentivement les piles de linge de l'Exposition de Blanc, imitant habilement des montagnes de neige, ou bien une poupée dont les dents et les yeux, à intervalles réguliers, s'allumaient, s'éteignaient, s'allumaient, s'éteignaient, s'allumaient, s'éteignaient, toujours à intervalles identiques, s'allumaient de nouveau et de nouveau s'éteignaient.

Ils regardaient longtemps, sans bouger, ils restaient là, offerts, devant les vitrines, ils reportaient toujours à l'intervalle suivant le moment de s'éloigner. Et les petits enfants tranquilles qui leur donnaient la main, fatigués de regarder, distraits, patiemment, auprès d'eux, attendaient.

II

Ils s'arrachaient à leurs armoires à glace où ils étaient en train de scruter leurs visages. Se soulevaient sur leurs lits : « C'est servi, c'est servi », disait-elle. Elle rassemblait à table la famille, chacun caché dans son antre, solitaire, hargneux, épuisé. « Mais qu'ont-ils donc pour avoir l'air toujours vannés ? » disait-elle quand elle parlait à la cuisinière.

Elle parlait à la cuisinière pendant des heures, s'agitant autour de la table, s'agitant toujours, préparant des potions pour eux ou des plats, elle parlait, critiquant les gens qui venaient à la maison, les amis : « et les cheveux d'une telle qui vont foncer, ils seront comme ceux de sa mère, et droits ; ils ont de la chance, ceux qui n'ont pas besoin de permanente ». — « Mademoiselle a de beaux cheveux », disait la cuisinière, « ils sont épais, ils sont beaux malgré qu'ils ne bouclent pas ». – « Et un tel, je suis sûre qu'il ne vous a pas laissé quelque chose. Ils sont avares, avares tous, et ils ont de l'argent, ils ont de l'argent, c'est dégoûtant. Et ils se privent de tout. Moi, je ne comprends pas ça. » — « Ah ! non, disait la cuisinière, non, ils ne l'emporteront pas avec eux. Et leur fille, elle n'est toujours pas mariée, et elle n'est pas mal, elle a de beaux cheveux, un petit nez, de jolis pieds aussi. » — « Oui, de beaux cheveux, c'est vrai, disait-elle, mais personne ne l'aime, vous savez, elle ne plaît pas. Ah ! C'est drôle vraiment ».

Et il sentait filtrer de la cuisine la pensée humble et crasseuse, piétinante, piétinant toujours sur place, toujours sur place, tournant en rond, en rond, comme s'ils avaient le vertige mais ne pouvaient pas s'arrêter, comme s'ils avaient mal au cœur mais ne pouvaient pas s'arrêter, comme on se ronge les ongles, comme on arrache par morceaux sa peau quand on pèle, comme on se gratte quand on a de l'urticaire, comme on se retourne dans son lit pendant l'insomnie, pour se faire plaisir et pour se faire souffrir, à s'épuiser, à en avoir la respiration coupée...

« Mais peut-être que pour eux c'était autre chose. » C'était ce qu'il pensait, écoutant, étendu sur son lit, pendant que comme une sorte de bave poisseuse leur pensée s'infiltrait en lui, se collait à lui, le tapissait intérieurement.

Il n'y avait rien à faire. Rien à faire. Se soustraire était impossible. Partout, sous des formes innombrables, « traîtres » (« c'est traître le soleil d'aujourd'hui, disait la concierge, c'est traître et on risque d'attraper du mal. Ainsi, mon pauvre mari, pourtant il aimait se soigner... »), partout, sous les apparences de la vie elle-même, cela vous happait au passage, quand vous passiez en courant devant la loge de la concierge, quand vous répondiez au téléphone, déjeuniez en famille, invitiez des amis, adressiez la parole à qui que ce fût.

Il fallait leur répondre et les encourager avec douceur, et surtout, surtout ne pas leur faire sentir, ne pas leur faire sentir un seul instant qu'on se croyait différent. Se plier, se plier, s'effacer : « Oui, oui, oui, oui, c'est vrai, bien sûr », voilà ce qu'il fallait leur dire, et les regarder avec sympathie, avec tendresse, sans quoi un déchirement, un arrachement, quelque chose d'inattendu, de violent allait se produire, quelque chose qui jamais ne s'était produit et qui serait effrayant.

Il lui semblait qu'alors, dans un déferlement subit d'action, de puissance, avec une force immense, il les secouerait comme de vieux chiffons sales, les tordrait, les déchirerait, les détruirait complètement.

Mais il savait aussi que c'était probablement une impression fausse. Avant qu'il ait le temps de se jeter sur eux — avec cet instinct sûr, cet instinct de défense, cette vitalité facile qui faisait leur force inquiétante, ils se retourneraient sur lui et, d'un coup, il ne savait comment, l'assommeraient.

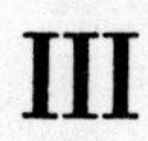

Ils étaient venus se loger dans des petites rues tranquilles, derrière le Panthéon, du côté de la rue Gay-Lussac ou de la rue Saint-Jacques, dans des appartements donnant sur des cours sombres, mais tout à fait décents et munis de confort.

On leur offrait cela ici, cela, et la liberté de faire ce qu'ils voulaient, de marcher comme ils voulaient, dans n'importe quel accoutrement, avec n'importe quel visage, dans les modestes petites rues.

Aucune tenue n'était exigée d'eux ici, aucune activité en commun avec d'autres, aucun sentiment, aucun souvenir. On leur offrait une existence à la fois dépouillée et protégée, une existence semblable à une salle d'attente dans une gare de banlieue déserte, une salle nue, grise et tiède, avec un poêle noir au milieu et des banquettes en bois le long des murs.

Et ils étaient contents, ils se plaisaient ici, ils se sentaient presque chez eux, ils étaient en bons termes avec Mme la concierge, avec la crémière, ils portaient leurs vêtements à nettoyer à la plus consciencieuse et la moins chère teinturière du quartier.

Ils ne cherchaient jamais à se souvenir de la campagne où ils avaient joué autrefois, ils ne cherchaient jamais à retrouver la couleur et l'odeur de la petite ville où ils avaient grandi, ils ne voyaient jamais surgir en eux, quand ils marchaient dans les rues de leur quartier, quand ils regardaient les devantures des magasins, quand ils passaient devant la loge de la concierge et la saluaient très poliment, ils ne voyaient jamais se lever dans leur souvenir un pan de mur inondé de vie, ou les pavés d'une cour, intenses et caressants, ou les marches douces d'un perron sur lequel ils s'étaient assis dans leur enfance.

Dans l'escalier de leur maison, ils rencontraient parfois « le locataire du dessous », professeur au lycée, qui revenait de classe avec ses deux enfants, à quatre heures. Ils avaient tous les trois de longues têtes aux yeux pâles, luisantes et lisses comme de grands œufs d'ivoire. La porte de leur appartement s'entr'ouvrait un instant pour les laisser passer. On les voyait poser leurs pieds sur des petits carrés de feutre placés sur le parquet de l'entrée — et s'éloigner silencieusement, glissant vers le fond sombre du couloir.

IV

Elles baragouinaient des choses à demi exprimées, le regard perdu et comme suivant intérieurement un sentiment subtil et délicat qu'elles semblaient ne pouvoir traduire.

Il les pressait : « Et pourquoi ? et pourquoi ? Pourquoi suis-je donc un égoïste ? Pourquoi un misanthrope ? Pourquoi cela ? Dites, dites ? »

Au fond d'elles-mêmes, elles le savaient, elles jouaient un jeu, elles se pliaient à quelque chose. Il leur semblait parfois qu'elles ne cessaient de regarder en lui une baguette qu'il maniait tout le temps comme pour les diriger. qu'il agitait doucement pour les faire obéir, comme un maître de ballet. Là, là, là, elles dansaient, tournaient et pivotaient, donnaient un peu d'esprit, un peu d'intelligence, mais comme sans y toucher, mais sans jamais passer sur le plan interdit qui pourrait lui déplaire.

« Et pourquoi ? Et pourquoi ? Et pourquoi ? » Allez donc ! En avant ! Ah, non, ce n'est pas cela ! En arrière ! En arrière ! Mais oui, le ton enjoué, oui, encore, doucement, sur la pointe des pieds, la plaisanterie et l'ironie. Oui, oui, on peut essayer, cela prend. Et l'air naïf maintenant pour oser dire des vérités qui pourraient sembler dures, pour s'occuper de lui, car il adorait cela, le taquiner, il adorait ce jeu. Là, attention, doucement, doucement, cela devient dangereux, mais on peut l'essayer, il peut le trouver piquant, amusant, aguichant. Maintenant c'est une histoire, c'est l'histoire d'un scandale, de la vie intime entre gens qu'il connaît, chez qui il est reçu et qui l'estiment. Cela va l'intéresser, d'habitude il aime cela... Mais non ! ah ! c'était fou, cela ne l'intéresse pas ou cela lui a déplu : il se renfrogne tout à coup, comme il fait peur, il va les rabrouer d'un air furieux, grognon, il va leur dire quelque chose d'avilissant, les rendre (elles ne savent comment) conscientes de leur bassesse, sinon maintenant, du moins à la moindre occasion, sans qu'on puisse lui répondre, de sa manière détournée, si mauvaise.

Quel épuisement, mon Dieu ! Quel épuisement que cette dépense, ce sautillement perpétuel devant lui : en arrière, en avant, en avant, en avant, et en arrière encore, maintenant mouvement tournant autour de lui, et puis encore sur la pointe des pieds, sans le quitter des yeux, et de côté et en avant et en arrière, pour lui procurer cette jouissance.

V

Par les journées de juillet très chaudes, le mur d'en face jetait sur la petite cour humide une lumière éclatante et dure.

Il y avait un grand vide sous cette chaleur, un silence, tout semblait en suspens ; on entendait seulement, agressif, strident, le grincement d'une chaise traînée sur le carreau, le claquement d'une porte. C'était dans cette chaleur, dans ce silence — un froid soudain, un déchirement.

Et elle restait sans bouger sur le bord de son lit, occupant le plus petit espace possible, tendue, comme attendant que quelque chose éclate, s'abatte sur elle dans ce silence menaçant.

Quelquefois le cri aigu des cigales, dans la

prairie pétrifiée sous le soleil et comme morte, provoque cette sensation de froid, de solitude, d'abandon dans un univers hostile où quelque chose d'angoissant se prépare.

Etendu dans l'herbe sous le soleil torride, on reste sans bouger, on épie, on attend.

Elle entendait dans le silence, pénétrant jusqu'à elle le long des vieux papiers à raies bleues du couloir, le long des peintures sales, le petit bruit que faisait la clef dans la serrure de la porte d'entrée. Elle entendait se fermer la porte du bureau.

Elle restait là, toujours recroquevillée, attendant, sans rien faire. La moindre action, comme d'aller dans la salle de bains se laver les mains, faire couler l'eau du robinet, paraissait une provocation, un saut brusque dans le vide, un acte plein d'audace. Ce bruit soudain de l'eau dans ce silence suspendu, ce serait comme un signal, comme un appel vers eux, ce serait comme un contact horrible, comme de toucher avec la pointe d'une baguette une méduse et puis d'attendre avec dégoût qu'elle tressaille tout à coup, se soulève et se replie.

Elle les sentait ainsi, étalés, immobiles derrière les murs, et prêts à tressaillir, à remuer.

Elle ne bougeait pas. Et autour d'elle toute la maison, la rue semblaient l'encourager, semblaient considérer cette immobilité comme naturelle.

Il paraissait certain, quand on ouvrait la porte et qu'on voyait l'escalier, plein d'un calme implacable, impersonnel et sans couleur, un escalier qui ne semblait pas avoir gardé la moindre trace des gens qui l'avaient parcouru, pas le moindre souvenir de leur passage, quand on se mettait derrière la fenêtre de la salle à manger et qu'on regardait les façades des maisons, les boutiques, les vieilles femmes et les petits enfants qui marchaient dans la rue, il paraissait certain qu'il fallait le plus longtemps possible — attendre, demeurer ainsi immobile, ne rien faire, ne pas bouger, que la suprême compréhension, que la véritable intelligence, c'était cela, ne rien entreprendre, remuer le moins possible, ne rien faire.

Tout au plus pouvait-on, en prenant soin de

n'éveiller personne, descendre sans le regarder l'escalier sombre et mort, et avancer modestement le long des trottoirs, le long des murs, juste pour respirer un peu, pour se donner un peu de mouvement, sans savoir où l'on va, sans désirer aller nulle part, et puis revenir chez soi, s'asseoir au bord du lit et de nouveau attendre, replié, immobile.

VI

Le matin elle sautait de son lit très tôt, courait dans l'appartement, âcre, serrée, toute chargée de cris, de gestes, de halètements de colère, de « scènes ». Elle allait de chambre en chambre, furetait dans la cuisine, heurtait avec fureur la porte de la salle de bains que quelqu'un occupait, et elle avait envie d'intervenir, de diriger, de les secouer, de leur demander s'ils allaient rester là une heure ou de leur rappeler qu'il était tard, qu'ils allaient manquer le tram ou le train, que c'était trop tard, qu'ils manquaient quelque chose par leur laisser-aller, leur négligence, ou que leur déjeuner était servi, qu'il était froid, qu'il attendait depuis deux heures, qu'il était glacé... Et il semblait qu'à ses yeux il n'y avait rien de plus méprisable, de plus bête, de plus haïssable, de plus laid, qu'il n'y avait pas de signe plus évident d'infériorité, de faiblesse, que de laisser refroidir, que de laisser attendre le déjeuner.

Ceux qui étaient des initiés, les enfants, se précipitaient. Les autres, insouciants et négligents envers ces choses, ignorant leur puissance dans cette maison, répondaient poliment, d'un air tout naturel et doux : « Merci beaucoup, ne vous inquiétez pas, je prends très volontiers du café un peu froid. » Ceux-là, les étrangers, elle n'osait rien leur dire, et pour ce seul mot, pour cette petite phrase polie par laquelle ils la repoussaient doucement, négligemment, du revers de la main, sans même la considérer, sans s'arrêter un seul instant à elle, pour cela seulement elle se mettait à les haïr.

Les choses ! les choses ! C'était sa force. La source de sa puissance. L'instrument dont elle se servait, à sa manière instinctive, infaillible et sûre, pour le triomphe, pour l'écrasement.

Quand on vivait près d'elle, on était prisonnier des choses, esclave rampant chargé d'elles, lourd et triste, continuellement guetté, traqué par elles.

Les choses. Les objets. Les coups de sonnette. Les choses qu'il ne fallait pas négliger. Les gens qu'il ne fallait pas faire attendre. Elle s'en servait comme d'une meute de chiens qu'elle sifflait à chaque instant sur eux : « On sonne ! On sonne ! Dépêchez-vous, vite, vite, on vous attend. »

Même quand ils étaient cachés, enfermés dans leur chambre, elle les faisait bondir : « On vous appelle. Vous n'entendez donc pas ? Le téléphone. La porte. Il y a un courant d'air. Vous n'avez pas fermé la porte, la porte d'entrée ! » Une porte avait claqué. Une fenêtre avait battu. Un souffle d'air avait traversé la chambre. Il fallait se précipiter, vite, vite, houspillé, bousculé, anxieux, tout laisser là et se précipiter, prêt à servir.

VII

Pas devant lui surtout, pas devant lui, plus tard, quand il ne serait pas là, mais pas maintenant. Ce serait trop dangereux, trop indécent de parler de cela devant lui.

Elle se tenait aux aguets, s'interposait pour qu'il n'entendît pas, parlait elle-même sans cesse, cherchait à le distraire : « La crise... et ce chômage qui va en augmentant. Bien sûr, cela lui paraissait clair, à lui qui connaissait si bien ces choses... Mais elle ne savait pas... On lui avait raconté pourtant... Mais il avait raison, quand on réfléchissait, tout devenait si évident, si simple... C'était curieux, navrant de voir la naïveté de tant de braves gens. » Tout allait bien. Il paraissait content. Tout en buvant son thé, il expliquait de son air indulgent, sûr de lui, et il faisait entendre parfois, plissant la joue, pressant la langue contre ses dents de côté pour en chasser un reste de nourriture, un bruit particulier, une sorte de sifflement, qui avait toujours chez lui un petit ton satisfait, insouciant.

Mais il se produisait parfois, malgré tous les efforts qu'elle faisait, un silence. Quelqu'un, se tournant vers elle, demandait si elle avait été voir les Van Gogh.

« Oui, oui, évidemment, elle était allée voir l'exposition (ce n'était rien, il ne devait pas faire attention, ce n'était rien, elle écarterait tout cela du revers de la main), elle y était allée un de ces dimanches après-midi où l'on ne sait jamais que faire. Evidemment, c'était très bien. »

Assez, assez maintenant, il fallait s'arrêter, ces gens ne sentaient donc rien, ils ne voyaient donc pas qu'il était là, qu'il écoutait. Elle avait peur... Mais ils ne s'en préoccupaient pas, ils continuaient.

Eh bien, puisqu'ils y tenaient, puisqu'elle ne pouvait pas les retenir — qu'ils les laissent donc entrer. Tant pis pour eux, qu'ils entrent pour un instant, Van Gogh, Utrillo ou un autre. Elle se mettrait devant eux pour essayer de les masquer un peu, pour qu'ils n'avancent pas trop, le moins possible, là, doucement, qu'ils marchent de côté docilement, longeant le mur. Là, là, ce n'était rien, il pouvait les regarder tranquillement : Utrillo était ivre, il venait de sortir de Sainte-Anne, et Van Gogh... Ah ! elle le lui donnait en mille, il ne devinerait jamais ce que Van Gogh pouvait tenir dans ce papier. Il tenait dans ce papier... son oreille coupée ! « L'homme à l'oreille coupée », bien sûr, il connaissait cela ? On voyait cela partout maintenant. Et voilà. C'était tout. Il n'était pas fâché ? Il n'allait pas se lever, la repousser brutalement, marcher sur eux, le regard fuyant, honteux, la lèvre mauvaise, hideusement retroussée ?

Non, non, elle avait tort de s'inquiéter. Il comprenait très bien. Il était indulgent, amusé. Il faisait entendre, plissant la joue. son petit sifflement, et l'on voyait toujours au fond de ses yeux ce gai reflet, cette lueur qui exprimait un sentiment placide de certitude, de douce sécurité, de contentement.

4

Quand il était avec des êtres frais et jeunes, des êtres innocents, il éprouvait le besoin douloureux, irrésistible, de les manipuler de ses doigts inquiets, de les palper, de les rapprocher de soi le plus près possible, de se les approprier.

Quand il lui arrivait de sortir avec l'un d'eux, d'emmener l'un d'eux « promener », il serrait fort, en traversant la rue, la petite main dans sa main chaude, prenante, se retenant pour ne pas écraser les minuscules doigts, pendant qu'il traversait en regardant avec une infinie prudence, à gauche et puis à droite, pour s'assurer qu'ils avaient le temps de passer, pour bien voir si une auto ne venait pas, pour que son petit trésor, son petit enfant chéri, cette petite chose vivante et tendre et confiante dont il avait la responsabilité, ne fût pas écrasée.

Et il lui apprenait, en traversant, à attendre longtemps, à faire bien attention, attention, attention, surtout très attention, en traversant les rues sur le passage clouté, car « il faut si peu de chose, car une seconde d'inattention suffit pour qu'il arrive un accident ».

Et il aimait aussi leur parler de son âge, de son grand âge et de sa mort. « Que diras-tu quand tu n'auras plus de grand-père, il ne sera pas là, ton grand-père, car il est vieux, tu sais, très vieux, il sera bientôt temps pour lui de mourir. Est-ce que tu sais ce qu'on fait quand on est mort ? Lui aussi, ton grand-père, il avait une maman. Ah ! où elle est maintenant ? Ah ! Ah ! où elle est maintenant, mon chéri ? elle est partie, il n'a plus de maman, elle est morte depuis longtemps, sa maman, elle est partie, il n'y en a plus, elle est morte. »

L'air était immobile et gris, sans odeur, et les maisons s'élevaient de chaque côté de la rue, les masses plates, fermées et mornes des maisons les entouraient, pendant qu'ils avançaient lentement le long du trottoir, en se tenant par la main. Et le petit sentait que quelque chose pesait sur lui, l'engourdissait. Une masse molle et étouffante, qu'on lui faisait absorber inexorablement, en exerçant sur lui une douce et ferme contrainte, en lui pinçant légèrement le nez pour le faire avaler, sans qu'il pût résister — le pénétrait, pendant qu'il trottinait doucement et très sagement, en donnant docilement sa petite main, en opinant de la tête très raisonnablement, et qu'on lui expliquait comme il fallait toujours avancer avec précaution et bien regarder d'abord à droite, puis à gauche, et faire bien attention, très attention, de peur d'un accident, en traversant le passage clouté.

IX

Elle était accroupie sur un coin du fauteuil, se tortillait, le cou tendu, les yeux protubérants : « Oui, oui, oui, oui, disait-elle, et elle approuvait chaque membre de phrase d'un branlement de la tête. Elle était effrayante, douce et plate, toute lisse, et seuls ses yeux étaient protubérants. Elle avait quelque chose d'angoissant, d'inquiétant et sa douceur était menaçante.

Il sentait qu'à tout prix il fallait la redresser, l'apaiser, mais que seul quelqu'un doué d'une force surhumaine pourrait le faire, quelqu'un qui aurait le courage de rester en face d'elle, là, bien assis, bien calé dans un autre fauteuil, qui oserait la regarder calmement, bien en face, saisir son regard, ne pas se détourner de son tortillement. « Eh bien ! Comment allez-vous donc ? » il oserait cela. « Eh bien ! Comment vous portez-vous ? » il oserait le lui dire — et puis il attendrait. Quelle parle, qu'elle agisse, qu'elle se révèle, que cela sorte, que cela éclate enfin — il n'en aurait pas peur.

Mais lui n'aurait jamais la force de le faire. Aussi lui fallait-il contenir cela le plus longtemps possible, empêcher que cela ne sorte, que cela ne jaillisse d'elle, le comprimer en elle, à tout prix, n'importe comment.

Mais quoi donc ? Qu'était-ce ? Il avait peur, il allait s'affoler, il ne fallait pas perdre une minute pour raisonner, pour réfléchir. Et, comme toujours dès qu'il la voyait, il entrait dans ce rôle où par la force, par la menace, lui semblait-il, elle le poussait. Il se mettait à parler, à parler sans arrêt, de n'importe qui, de n'importe quoi, à se démener (comme le serpent devant la musique ? comme les oiseaux devant le boa ? il ne savait plus) vite, vite, sans s'arrêter, sans une minute à perdre, vite, vite, pendant qu'il en est temps encore, pour la contenir, pour l'amadouer. Parler, mais parler de quoi ? de qui ? de soi, mais de soi, des siens, de ses amis, de sa famille, de leurs histoires, de leurs désagréments, de leurs secrets, de tout ce qu'il valait mieux cacher, mais puisque cela pouvait l'intéresser, mais puisque cela pourrait la satisfaire, il n'y avait pas à hésiter, il fallait le lui dire, tout lui dire, se dépouiller de tout, tout lui donner, tant qu'elle serait là, accroupie sur un coin du fauteuil, toute douce, toute plate, se tortillant.

Dans l'après-midi elles sortaient ensemble, menaient la vie des femmes. Ah ! cette vie était extraordinaire ! Elles allaient dans des « thés », elles mangeaient des gâteaux qu'elles choisissaient délicatement, d'un petit air gourmand : éclairs au chocolat, babas et tartes.

Tout autour c'était une volière pépiante, chaude et gaîment éclairée et ornée. Elles restaient là, assises, serrées autour de leurs petites tables et parlaient.

Il y avait autour d'elles un courant d'excitation, d'animation, une légère inquiétude pleine de joie, le souvenir d'un choix difficile, dont on doutait encore un peu (se combinerait-il avec l'ensemble bleu et gris ? mais si pourtant, il serait admirable), la perspective de cette métamorphose, de ce rehaussement subit de leur personnalité, de cet éclat.

Elles, elles, elles, elles, toujours elles, voraces, pépiantes et délicates.

Leurs visages étaient comme raidis par une sorte de tension intérieure, leurs yeux indifférents glissaient sur l'aspect, sur le masque des choses, le soupesaient un seul instant (était-ce joli ou laid ?), puis le laissaient retomber. Et les fards leur donnaient un éclat dur, une fraîcheur sans vie.

Elles allaient dans des thés. Elles restaient là, assises pendant des heures, pendant que des après-midi entières s'écoulaient. Elles parlaient : « Il y a entre eux des scènes lamentables, des disputes à propos de rien. Je dois dire que c'est lui que je plains dans tout cela quand même. Combien ? Mais au moins deux millions. Et rien que l'héritage de la tante Joséphine... Non... comment voulez-vous ? Il ne l'épousera pas. C'est une femme d'intérieur qu'il lui faut, il ne s'en rend pas compte lui-même. Mais non, je vous le dis. C'est une femme d'intérieur qu'il lui faut... D'intérieur... D'intérieur... » On le leur avait toujours dit. Cela, elles l'avaient bien toujours entendu dire, elles le savaient : les sentiments, l'amour, la vie, c'était là leur domaine. Il leur appartenait.

Et elles parlaient, parlaient toujours, répétant les mêmes choses, les retournant, puis les retournant encore, d'un côté puis de l'autre, les pétrissant, les pétrissant, roulant sans cesse entre leurs doigts cette matière ingrate et pauvre qu'elles avaient extraite de leur vie (ce qu'elles appelaient « la vie », leur domaine), la pétrissant, l'étirant, la roulant jusqu'à ce qu'elle ne forme plus entre leurs doigts qu'un petit tas, une petite boulette grise.

XI

Elle avait compris le secret. Elle avait flairé où se cachait ce qui devait être pour tous le trésor véritable. Elle connaissait « l'échelle des valeurs ».

Pour elle, pas de conversations sur la forme des chapeaux et les tissus de chez Rémond. Elle méprisait profondément les chaussures à bouts carrés.

Comme un cloporte, elle avait rampé insidieusement vers eux et découvert malicieusement « le vrai de vrai », comme une chatte qui se pourlèche et ferme les yeux devant le pot de crème déniché.

Maintenant elle le savait. Elle s'y tiendrait. On ne l'en délogerait plus. Elle écoutait, elle absorbait, gloutonne, jouisseuse et âpre. Rien ne devait lui échapper de ce qui leur appartenait : les galeries de tableaux, tous les livres qui paraissaient... Elle connaissait tout cela. Elle avait commencé par « Les Annales », maintenant elle se glissait vers Gide, bientôt elle irait prendre des notes, l'œil intense et cupide, à « L'Union pour la Vérité ».

Sur tout cela elle se promenait, flairait partout, soulevait tout de ses doigts aux ongles carrés ; dès qu'on parlait vaguement quelque part de cela, son regard s'allumait, elle tendait le cou avidement.

Ils en éprouvaient une répulsion indicible. Lui cacher cela — vite — avant qu'elle ne le flaire, l'emporter, le soustraire à son contact avilissant... Mais elle les déjouait, car elle connaissait tout. On ne pouvait lui cacher la cathédrale de Chartres. Elle savait tout sur elle. Elle avait lu ce qu'en pensait Péguy.

Dans les recoins les plus secrets, dans les trésors les mieux dissimulés, elle fouillait de ses doigts avides. Toute « l'intellectualité ». Il la lui fallait. Pour elle. Pour elle, car elle savait maintenant le véritable prix des choses. Il lui fallait l'intellectualité.

Ils étaient ainsi un grand nombre comme elle, parasites assoiffés et sans merci, sangsues fixées sur les articles qui paraissaient, limaces collées partout et répandant leur suc sur des coins de Rimbaud, suçant du Mallarmé, se passant les uns aux autres et engluant de leur ignoble compréhension *Ulysse* ou les *Cahiers de Malte Laurids Brigge.*

« C'est si beau », disait-elle, en ouvrant d'un air pur et inspiré ses yeux où elle allumait une « étincelle de divinité ».

XII

Dans ses cours très suivis au Collège de France, il s'amusait de tout cela.

Il se plaisait à farfouiller, avec la dignité des gestes professionnels, d'une main implacable et experte, dans les dessous de Proust ou de Rimbaud, et étalant aux yeux de son public très attentif leurs prétendus miracles, leurs mystères, il expliquait « leur cas ».

Avec son petit œil perçant et malicieux, sa cravate toute faite et sa barbe carrée, il ressemblait énormément au Monsieur peint sur les réclames, qui recommande en souriant, le doigt levé : Saponite — la bonne lessive, ou bien la Salamandre modèle : économie, sécurité, confort.

« Il n'y a rien », disait-il, « vous voyez, je suis allé regarder moi-même, car je n'aime pas m'en laisser accroire, rien que je n'aie moi-même mille fois déjà étudié cliniquement, catalogué et expliqué.

« Ils ne doivent pas vous démonter. Tenez, ils sont entre mes mains comme des petits enfants tremblants et nus, et je les tiens dans le creux de ma main devant vous comme si j'étais leur créateur, leur père, je les ai vidés pour vous de leur puissance et de leur mystère, j'ai traqué, harcelé ce qu'il y avait en eux de miraculeux.

« Maintenant, ils sont à peine différents de ces intelligents, de ces curieux et amusants loufoques qui viennent me raconter leurs interminables histoires pour que je m'occupe d'eux, les apprécie et les rassure.

« Vous ne pouvez pas plus vous émouvoir que mes filles quand elles reçoivent leurs amies dans le salon de leur mère et bavardent gentiment et rient sans se soucier de ce que je dis à mes malades dans la pièce voisine. »

Ainsi il professait au Collège de France. Et partout alentour, dans les Facultés avoisinantes, aux cours de littérature, de droit, d'histoire ou de philosophie, à l'Institut et au Palais, dans les autobus, les métros, dans toutes les administrations, l'homme sensé, l'homme normal, l'homme actif, l'homme digne et sain, l'homme fort triomphait.

Evitant les boutiques pleines de jolis objets, les femmes qui trottinaient alertement, les garçons de café, les étudiants en médecine, les agents, les clercs de notaire, Rimbaud ou Proust, arrachés de la vie, rejetés hors de la vie et privés de soutien, devaient errer sans but le long des rues, ou somnoler, la tête tombant sur la poitrine, dans quelque square poussiéreux.

XIII

On les voyait marcher le long des vitrines, leur torse très droit légèrement projeté en avant, leurs jambes raides un peu écartées, et leurs petits pieds cambrés sur leurs talons très hauts frappant durement le trottoir.

Avec leur sac sous le bras, leurs gantelets, leur petit « bibi » réglementaire juste comme il faut incliné sur leur tête, leurs cils longs et rigides piqués dans leurs paupières bombées, leurs yeux durs, elles trottaient le long des boutiques, s'arrêtaient tout à coup, furetaient d'un œil avide et connaisseur.

Bien vaillamment, car elles étaient très résistantes, elles avaient depuis plusieurs jours couru à la recherche à travers les boutiques d' « un petit tailleur sport », en gros tweed à dessins, « un petit dessin comme ça, je le vois si bien, il est à petits carreaux gris et bleus... Ah ! vous n'en avez pas ? où pourrais-je en trouver ? » et elles avaient recommencé leur course.

Le petit tailleur bleu... le petit tailleur gris... Leurs yeux tendus furetaient à sa recherche... Peu à peu il les tenait plus fort, s'emparait d'elles impérieusement, devenait indispensable, devenait un but en soi, elles ne savaient plus pourquoi, mais qu'à tout prix il leur fallait atteindre.

Elles allaient, elles trottaient, grimpaient courageusement (plus rien ne les arrêterait) par des escaliers sombres, au quatrième ou au cinquième étage, « dans des maisons spécialisées, qui font du tweed anglais, où on est sûr de trouver cela », et, un peu agacées (elles commençaient à se fatiguer, elles allaient perdre courage), elles suppliaient : « Mais non, mais non, vous savez bien ce que je veux dire, à petits carreaux comme ça, avec des raies en diagonale... mais non, ce n'est pas ça, ce n'est pas ça du tout... Ah ! vous n'en avez pas ? Mais où puis-je en trouver ? J'ai regardé partout... Ah ! peut-être encore là ? Vous croyez ? Bon, je vais y aller... Au revoir...

Mais oui, je regrette beaucoup, oui, pour une autre fois... » et elles souriaient tout de même, aimablement, bien élevées, bien dressées depuis de longues années, quand elles avaient couru encore avec leur mère, pour combiner, pour « se vêtir de rien », « car une jeune fille, déjà, a besoin de tant de choses, et il faut savoir s'arranger ».

XIV

Bien qu'elle se tût toujours et se tînt à l'écart, modestement penchée, comptant tout bas un nouveau point , deux mailles à l'endroit , maintenant trois à l'envers et puis maintenant un rang tout à l'endroit , si féminine , si effacée (ne faites pas attention , je suis très bien ainsi, je ne demande rien pour moi), ils sentaient sans cesse, comme en un point sensible de leur chair, sa présence.

Toujours fixés sur elle, comme fascinés, ils surveillaient avec effroi chaque mot, la plus légère intonation, la nuance la plus subtile, chaque geste, chaque regard ; ils avançaient sur la pointe des pieds, en se retournant au moindre bruit, car ils savaient qu'il y avait partout des endroits mystérieux, des endroits dangereux qu'il ne fallait pas heurter, pas effleurer, sinon, au plus léger contact, des clochettes, comme dans un conte d'Hoffmann, des milliers de clochettes à la note claire comme sa voix virginale – se mettraient en branle.

Mais parfois, malgré les précautions, les efforts, quand ils la voyaient qui se tenait silencieuse sous la lampe, semblable à une fragile et douce plante sous-marine toute tapissée de ventouses mouvantes, ils se sentaient glisser, tomber de tout leur poids écrasant tout sous eux : cela sortait d'eux, des plaisanteries stupides, des ricanements, d'atroces histoires d'anthropophages, cela sortait et éclatait sans qu'ils pussent le retenir. Et elle se repliait doucement — oh ! c'était trop affreux ! — songeait à sa petite chambre, au cher refuge où elle irait bientôt s'agenouiller sur sa descente de lit, dans sa chemise de toile froncée autour du cou, si enfantine, si pure, la petite Thérèse de Lisieux, sainte Catherine, Blandine... et, serrant dans sa main la chaînette d'or de son cou, prierait pour leurs péchés.

Parfois aussi, quand tout allait si bien, quand

elle se pelotonnait déjà tout aguichée, sentant qu'on abordait une de ces questions qu'elle aimait tant, quand on les discutait avec sincérité, gravement, ils s'esquivaient dans une pirouette de clown, le visage distendu par un sourire idiot, horrible.

XV

Elle aimait tant les vieux Messieurs comme lui, avec qui on pouvait parler, ils comprenaient tant de choses, ils connaissaient la vie, ils avaient fréquenté des gens intéressants (elle savait qu'il avait été l'ami de Félix Faure et qu'il avait baisé la main de l'Impératrice Eugénie).

Quand il venait dîner chez ses parents, tout enfantine, toute déférente (il était si savant), un peu intimidée, mais frétillante (ce serait si instructif d'entendre ses avis), elle allait au salon la première, lui tenir compagnie.

Il se soulevait péniblement : « Tiens ! vous voilà ! Eh bien, comment allez-vous donc ? Et comment ça va-t-il ? Et que faites vous ? Que faites vous de bon cette année ? Ah ! vous retournez encore en Angleterre ? Ah ! oui ? »

Elle y retournait. Vraiment, elle aimait tant ce pays. Les Anglais, quand on les connaissait...

Mais il l'interrompait : « L'Angleterre... Ah ! oui, l'Angleterre... Shakespeare ? Hein ? Hein ? Shakespeare. Dickens. Je me souviens, tenez, quand j'étais jeune, je m'étais amusé à traduire du Dickens. Thackeray. Vous connaissez Thackeray ? Th... Th... C'est bien comme cela qu'ils prononcent ? Hein ? Thackeray ? C'est bien cela ? C'est bien comme cela qu'on dit ? »

Il l'avait agrippée et la tenait tout entière dans son poing. Il la regardait qui gigotait un peu, qui se débattait maladroitement en agitant en l'air ses petits pieds, d'une manière puérile, et qui souriait toujours, aimablement : « Mais oui, je crois que c'est bien ainsi. Oui. Vous prononcez bien. En effet, le t-h... Tha... Thackeray... Oui, c'est cela. Mais certainement, je connais *Vanity Fair*. Mais oui, c'est bien de lui. »

Il la tournait un peu pour mieux la voir :

— « Vanity Fair ? Vanity Fair ? Ah, oui, vous en êtes sûre ? Vanity Fair ? C'est de lui ? »

Elle continuait à frétiller doucement, toujours avec son petit sourire poli, son expression d'attente quêteuse. Il serrait de plus en plus : « Et vous allez par où ? Par Douvres ? Par Calais ? Dover ? Hein ? par Dover ? C'est bien cela ? Dover ? »

Il n'y avait pas moyen de s'échapper. Pas moyen de l'arrêter. Elle qui avait tant lu... qui avait réfléchi à tant de choses... Il pouvait être si charmant... Mais il était dans un de ses mauvais jours, dans une de ses humeurs bizarres. Il allait continuer, sans pitié, sans répit : « Dover, Dover, Dover ? Hein ? Hein ? Thackeray ? Hein ? Thackeray ? L'Angleterre ? Dickens ? Shakespeare ? Hein ? Hein ? Dover ? Shakespeare ? Dover ? » tandis qu'elle chercherait à se dégager doucement, sans oser faire des mouvements brusques qui pourraient lui déplaire, et répondrait respectueusement d'une petite voix tout juste un peu voilée : « Oui, Dover, c'est bien cela. Vous avez dû souvent faire ce voyage ?... Je crois que c'est plus commode par Douvres. Oui, c'est cela... Dover. »

Seulement quand il verrait arriver ses parents, il reviendrait à lui, il desserrerait son poing et, un peu rouge, un peu ébouriffée, sa jolie robe un peu froissée, elle oserait enfin, sans craindre de le mécontenter, s'échapper.

XVI

Maintenant ils étaient vieux, ils étaient tout usés, « comme de vieux meubles qui ont beaucoup servi, qui ont fait leur temps et accompli leur tâche », et ils poussaient parfois (c'était leur coquetterie) une sorte de soupir sec, plein de résignation, de soulagement, qui ressemblait à un craquement.

Par les soirs doux de printemps, ils allaient se promener ensemble, « maintenant que la jeunesse était passée, maintenant que les passions étaient finies », ils allaient se promener tranquillement, « prendre un peu le frais avant d'aller se coucher », s'asseoir dans un café, passer quelques instants en bavardant.

Ils choisissaient avec beaucoup de précautions un coin bien abrité (« pas ici : c'est dans le courant d'air, ni là : juste à côté des lavabos »), ils s'asseyaient — « Ah ! ces vieux os, on se fait vieux. Ah ! Ah ! » — et ils faisaient entendre leur craquement.

La salle avait un éclat souillé et froid, les garçons circulaient trop vite, d'un air un peu brutal, indifférent, les glaces reflétaient durement des visages fripés et des yeux clignotants.

Mais ils ne demandaient rien de plus, c'était cela, ils le savaient, il ne fallait rien attendre, rien demander, c'était ainsi, il n'y avait rien de plus, c'était cela, « la vie ».

Rien d'autre, rien de plus, ici ou là, ils le savaient maintenant.

Il ne fallait pas se révolter, rêver, attendre, faire des efforts, s'enfuir, il fallait juste choisir attentivement (le garçon attendait), serait-ce une grenadine ou un café ? crème ou nature ? en acceptant modestement de vivre — ici ou là — et de laisser passer le temps.

XVII

Quand il se mettait à faire beau, les jours de fête, ils allaient se promener dans les bois de la banlieue.

Les taillis broussailleux étaient percés de carrefours où convergeaient symétriquement des allées droites. L'herbe était rare et piétinée, mais sur les branches des feuilles fraîches commençaient à sortir ; elles ne parvenaient pas à jeter autour d'elles un peu de leur éclat et ressemblaient à ces enfants au sourire aigrelet qui plissent la figure sous le soleil dans les salles d'hôpital.

Ils s'asseyaient pour déjeuner au bord des routes ou bien dans les clairières pelées. Ils ne paraissaient rien voir, ils dominaient tout cela, les cris grêles des oiseaux, les bourgeons à l'aspect fautif, l'herbe tassée ; l'atmosphère épaisse dans laquelle ils vivaient toujours les entourait ici aussi, s'élevait d'eux comme une lourde et âcre vapeur.

Ils avaient amené avec eux le compagnon de leurs heures de repos, leur petit enfant solitaire.

Lorsque l'enfant voyait qu'ils commençaient à s'installer à l'endroit qu'ils avaient choisi, il ouvrait son pliant, le posait à côté d'eux et, s'accroupissant dessus, se mettait à racler la terre, à ramasser en tas des feuilles sèches et des cailloux.

Leurs paroles, mêlées aux inquiétants parfums de ce printemps chétif, pleines d'ombres où s'agitaient des formes confuses, l'enveloppaient.

L'air dense, comme gluant de poussière mouillée et de sèves, se collait à lui, adhérait à sa peau, à ses yeux.

Il refusait d'aller loin d'eux jouer avec d'autres enfants dans la prairie. Il restait là, agglutiné, et, plein d'une avidité morne, il absorbait ce qu'ils disaient.

XVIII

C'est aux environs de Londres, dans un cottage aux rideaux de percale, avec la petite pelouse par derrière, ensoleillée et toute mouillée de pluie.

La grande porte-fenêtre du studio, entourée de glycines, s'ouvre sur cette pelouse.

Un chat est assis tout droit, les yeux fermés, sur la pierre chaude.

Une demoiselle aux cheveux blancs, aux joues roses un peu violacées, lit devant la porte un magazine anglais.

Elle est assise là, toute raide, toute digne, toute sûre d'elle et des autres, solidement installée dans son petit univers. Elle sait que dans quelques minutes on va sonner la cloche pour le thé.

La cuisinière Ada, en bas, devant la table couverte de toile cirée blanche, épluche les légumes. Son visage est immobile, elle a l'air de ne penser à rien. Elle sait que bientôt il sera temps de faire griller les « buns » et de sonner la cloche pour le thé.

XIX

Il était lisse et plat, deux faces planes — ses joues que tour à tour il leur offrait et où ils déposaient, de leurs lèvres tendues, un baiser.

Ils le prenaient et ils le trituraient, le retournaient en tous les sens, le piétinaient, se roulaient sur lui, se vautraient. Ils le faisaient tourner, et là, et là, et là, ils lui montraient d'inquiétants trompe-l'œil, des fausses portes, des fausses fenêtres vers lesquelles il allait, crédule, et où il se cognait, se faisait mal.

Ils savaient depuis toujours comment le posséder entièrement, sans lui laisser un coin de fraîcheur, sans un instant de répit, comment le dévorer jusqu'à la dernière miette. Ils l'arpentaient, le mesuraient en affreux lotissements, en carrés, le parcouraient dans tous les sens ; parfois ils le laissaient courir, le lâchaient, mais le reprenaient dès qu'il s'éloignait trop, s'en emparaient de nouveau. Il avait pris goût depuis l'enfance à cette dévoration — il se tendait, goûtait leur parfum âcre et sucré, s'offrait.

Le monde où ils l'avaient enfermé, où de toutes parts ils l'encerclaient, était sans issue. Partout leur atroce clarté, leur lumière aveuglante qui nivelait tout, supprimait les ombres et les aspérités.

Ils connaissaient son goût pour leurs atteintes, sa faiblesse, aussi ne se gênaient-ils pas.

Ils l'avaient bien vidé et rembourré et lui montraient partout d'autres poupées, d'autres fantoches. Il ne pouvait pas leur échapper. Il ne pouvait que tourner vers eux poliment les deux faces lisses de ses joues, l'une après l'autre, pour leur baiser.

XX

Quand il était petit, la nuit il se dressait sur son lit, il appelait. Elles accouraient, allumaient la lumière, elles prenaient dans leursmains les linges blancs, les serviettes de toilette, les vêtements, et elles les lui montraient. Il n'y avait rien. Les linges entre leurs mains devenaient inoffensifs, se recroquevillaient, devenaient figés et morts dans la lumière.

Maintenant qu'il était grand, il les faisait encore venir pour regarder partout, chercher en lui, bien voir et prendre entre leurs mains les peurs blotties en lui dans les recoins et les examiner à la lumière.

Elles avaient l'habitude d'entrer et de regarder

et il allait au devant d'elles, il éclairait lui-même partout pour ne pas sentir leurs mains tâtonner dans l'obscurité. Elles regardaient — il se tenait immobile, sans oser respirer — mais il n'y avait rien nulle part, rien qui pût effrayer, tout semblait bien en ordre, à sa place, elles reconnaissaient partout des objets familiers, depuis longtemps connus, et elles les lui montraient. Il n'y avait rien. De quoi avait-il peur ? Parfois, ici ou là, dans un coin, quelque chose semblait trembler vaguement, flageoler légèrement, mais d'une tape elles remettaient cela d'aplomb, ce n'était rien, une de ses craintes familières — elles la prenaient et elles la lui montraient : la fille de son ami était déjà mariée ? C'était cela ? Ou bien un tel qui était pourtant de la même promotion que lui avait eu de l'avancement, allait être décoré ? Elles arrangeaient, elles redressaient cela, ce n'était rien. Pour un instant, il se croyait plus fort, soutenu, rafistolé, mais déjà il sentait que ses membres devenaient lourds, inertes, s'engourdissaient dans cette attente figée, il avait, comme avant de perdre connaissance, des picotements dans les narines ; elles le voyaient se replier tout à coup, prendre son air bizarrement absorbé et absent ; alors, avec des tapes légères sur les joues — le voyages des Windsor, Lebrun, les quintuplées — elles le ranimaient.

Mais tandis qu'il revenait à lui et quand elles le laissaient enfin raccommodé, nettoyé, arrangé, tout bien accommodé et préparé, la peur se reformait en lui, au fond des petits compartiments, des tiroirs qu'elles venaient d'ouvrir, où elles n'avaient rien vu et qu'elles avaient refermés.

XXI

Dans son tablier noir en alpaga, avec sa croix épinglée chaque semaine sur sa poitrine, c'était une petite fille extrêmement « facile », une enfant très docile et très sage : « Il est pour les enfants, Madame, celui-là ? » demandait-elle à la papetière, quand elle n'était pas sûre, en achetant un journal illustré ou un livre.

Elle n'aurait jamais pu, oh, non, pour rien au monde elle n'aurait pu, déjà à cet âge-là, sortir de la boutique avec ce regard appuyé sur son dos, avec tout le long de son dos quand elle allait ouvrir la porte pour sortir, le regard de la papetière.

Elle était grande maintenant, petit poisson

deviendra grand, mais oui, le temps passe vite, ah , c'est une fois passé vingt ans que les années se mettent à courir toujours plus vite, n'est-ce pas ? eux aussi trouvaient cela ? et elle se tenait devant eux dans son ensemble noir qui allait avec tout, et puis le noir, c'est bien vrai, fait toujours habillé... elle se tenait assise, les mains croisées sur son sac assorti, souriante, hochant la tête, apitoyée, oui, bien sûr elle avait entendu raconter, elle savait comme l'agonie de leur grand'mère avait duré, c'est qu'elle était si forte, pensez donc, ils n'étaient pas comme nous, elle avait conservé toutes ses dents à son âge... Et Madeleine ? Son mari... Ah , les hommes, s'ils pouvaient mettre au monde des enfants, ils n'en auraient qu'un seul, bien sûr, ils ne recommenceraient pas deux fois, sa mère, la pauvre femme, le répétait toujours — Oh ! oh ! les pères, les fils, les mères ! — l'aînée était une fille, eux qui avaient voulu avoir un fils d'abord, non, non, c'était trop tôt, elle n'allait pas se lever déjà, partir, elle n'allait pas se séparer d'eux, elle allait rester là, près d'eux, tout près, le plus près possible, bien sûr elle comprenait, c'est si gentil, un frère aîné, elle hochait la tête, elle souriait, oh , pas elle la première, oh , non, ils pouvaient être tout à fait rassurés, elle ne bougerait pas, oh , non, pas elle, elle ne pourrait jamais rompre cela tout à coup. Se taire ; les regarder ; et juste au beau milieu de la maladie de la grand'mère se dresser et, faisant un trou énorme, s'échapper en heurtant les parois déchirées et courir en criant au milieu des maisons qui guettaient accroupies tout au long des rues grises, s'enfuir en enjambant les pieds des concierges qui prenaient le frais assises sur le seuil de leurs portes, courir la bouche tordue, hurlant des mots sans suite, tandis que les concierges lèveraient la tête au-dessus de leur tricot et que leurs maris abaisseraient leur journal sur leurs genoux et appuieraient le long de son dos, jusqu'à ce qu'elle tourne le coin de la rue, leur regard.

XXII

Parfois, quand ils ne le voyaient pas, il pouvait tout doucement, pour essayer de trouver autour de lui quelque chose de chaud, de vivant, passer la main le long de la colonne du buffet... ils ne le verraient pas ou peut-être ils croiraient qu'il se bornait — manie très répandue et après tout inoffensive — à conjurer le sort en « touchant du bois ».

S'il sentait derrière lui leur regard l'observant, comme le malfaiteur, dans les films drôles, qui, sentant dans son dos le regard de l'agent, achève son geste nonchalamment, lui donne une apparence désinvolte et naïve, il tapotait, pour bien les rassurer, avec trois doigts de la main droite, trois fois trois, le vrai geste efficace pour conjurer. C'est qu'ils le surveillaient de plus près, depuis qu'il avait été surpris dans sa chambre, lisant la Bible.

Les objets se méfiaient aussi beaucoup de lui et depuis très longtemps déjà, depuis que tout petit il les avait sollicités, qu'il avait essayé de se raccrocher à eux, de venir se coller à eux, de se réchauffer, ils avaient refusé de « marcher », de devenir ce qu'il voulait faire d'eux, « de poétiques souvenirs d'enfance ». Ils étaient bien matés, les objets, bien dressés, ils avaient le visage effacé, anonyme, des serviteurs stylés ; ils connaissaient leur rôle et refusaient de lui répondre, de crainte, sans doute, de se voir donner congé.

Mais à part, très rarement, ce petit geste timide, il ne se permettait vraiment rien. Il avait réussi peu à peu à maîtriser toutes ses manies stupides, il en avait même moins maintenant qu'il n'était normalement toléré ; il ne collectionnait même pas — ce que, au vu de tous, les gens normaux faisaient — les timbres-poste. Il ne s'arrêtait jamais au milieu de la rue pour regarder — comme autrefois, à la promenade, quand sa bonne, mais allons donc ! allons ! le tirait, — il passait vite et n'entravait jamais la circulation sur la chaussée ; il passait devant les objets, même les plus accueillants, même les plus animés, sans leur jeter un regard de connivence.

En somme, ceux-mêmes de ses amis, de ses parents, qui étaient férus de psychiâtrie ne pouvaient rien lui reprocher, sinon, peut-être, devant ce manque chez lui d'inoffensives et délassantes lubies, devant son conformisme par trop obéissant, une légère tendance à l'asthénie.

Mais ils toléraient cela ; c'était, tout bien considéré, moins dangereux, moins indécent.

De temps à autre seulement, quand il était trop fatigué, sur leur conseil, il se permettait de partir seul faire un petit voyage. Et là-bas, quand il se promenait à la tombée du jour, dans les ruelles recueillies sous la neige, pleines de douce indulgence, il frôlait de ses mains les briques rouges et blanches des maisons et, se collant au mur, de biais, craignant d'être indiscret, il regardait à travers une vitre claire, dans une chambre au rez-de-chaussée où l'on avait posé devant la fenêtre des pots de plantes vertes sur des soucoupes de porcelaine, et d'où, chauds, pleins, lourds d'une mystérieuse densité, des objets lui jetaient une parcelle — à lui aussi, bien qu'il fût inconnu et étranger — de leur rayonnement ;

où un coin de table, la porte d'un buffet, la paille d'une chaise sortaient de la pénombre et consentaient à devenir pour lui, miséricordieusement pour lui aussi, puisqu'il se tenait là et attendait, un petit morceau de son enfance.

XXIII

Ils étaient laids, ils étaient plats, communs, sans personnalité, ils dataient vraiment trop, des clichés, pensait-elle, qu'elle avait vus déjà tant de fois décrits partout, dans Balzac, Maupassant, dans Madame Bovary, des clichés, des copies, la copie d'une copie, pensait-elle.

Elle aurait tant voulu les repousser, les empoigner et les rejeter très loin. Mais ils se tenaient autour d'elle tranquillement, ils lui souriaient, aimables, mais dignes, très décents, toute la semaine ils avaient travaillé, ils n'avaient toute leur vie compté que sur eux-mêmes, ils ne demandaient rien, rien d'autre que de temps en temps la voir ; de rajuster un peu entre elle et eux le lien, sentir qu'il était là, toujours bien à sa place le fil qui les reliait à elle. Ils ne voulaient rien d'autre que demander — comme c'était naturel, comme tout le monde faisait, quand on se rendait visite entre amis, entre parents — lui demander ce qu'elle avait fait de bon, si elle avait lu beaucoup ces derniers temps, si elle était sortie souvent, si elle avait vu cela, ces films, ne les trouvait-elle pas bien... Eux ils avaient tellement aimé Michel Simon, Jouvet, ils avaient tellement ri, passé une si bonne soirée...

Et quant à tout cela, les clichés, les copies, Balzac, Flaubert, Madame Bovary, oh ! ils savaient très bien, ils connaissaient tout cela, mais ils n'avaient pas peur — ils la regardaient gentiment, ils souriaient, ils semblaient se sentir en lieu sûr auprès d'elle, ils semblaient le savoir, qu'ils avaient été tant regardés, dépeints, décrits, tant sucés qu'ils en étaient devenus tout lisses comme des galets, tout polis, sans une entaille, sans une prise.Elle ne pourrait pas les entamer. Ils étaient à l'abri.

Ils l'entouraient, tendaient vers elle leurs mains : « Michel Simon... Jouvet... Ah , il avait fallu, n'est-ce pas, s'y prendre bien à l'avance pour retenir ses places... Après, on n'aurait plus trouvé de billets où à des prix exorbitants, rien que des places de loges, des baignoires... » Ils resserraient le lien un peu plus fort, bien doucement, discrètement, sans faire mal, ils rajustaient le fil ténu, tiraient...

Et peu à peu une faiblesse, une mollesse, un besoin de se rapprocher d'eux, d'être approuvée par eux, la faisait entrer avec eux dans la ronde. Elle sentait comme sagement (Oh oui... Michel Simon... Jouvet...) bien sagement, comme une bonne petite fille docile, elle leur donnait la main et tournait avec eux.

Ah , nous voilà enfin tous réunis, bien sages, faisant ce qu'auraient approuvé nos parents, nous voilà donc enfin tous là, convenables, chantant en chœur comme de braves enfants qu'une grande personne invisible surveille pendant qu'ils font la ronde gentiment en se donnant une menotte triste et moite.

XXIV

Ils se montraient rarement, ils se tenaient tapis dans leurs appartements, au fond de leurs pièces sombres et ils guettaient.

Ils se téléphonaient les uns aux autres, furetaient, se rappelaient, happaient le moindre indice, le plus faible signe.

Certains se délectaient à découper l'annonce du journal révélant que sa mère avait besoin d'une couturière à la journée.

Ils se souvenaient de tout, ils veillaient jalousement ; se tenant par les mains en un rond bien tendu, ils l'entouraient.

Leur humble confrérie aux visages à demi effacés et ternis se tenait autour de lui en cercle.

Et quand ils le voyaient qui rampait honteusement pour essayer de se glisser entre eux, ils abaissaient vivement leurs mains entrelacées et, tous s'accroupissant ensemble autour de lui, ils le fixaient de leur regard vide et obstiné, avec leur sourire légèrement infantile.

CET OUVRAGE A ÉTÉ ACHEVÉ D'IMPRIMER LE TRENTE JUIN MIL NEUF CENT SOIXANTE-SEIZE SUR LES PRESSES DE L'IMPRIMERIE DE LA MANUTENTION A MAYENNE ET INSCRIT DANS LES REGISTRES DE L'ÉDITEUR SOUS LE NUMÉRO 1204

Imprimé en France

1204